Odette

Kay Fender et Philippe Dumas

Un printemps à Paris

l'école des loisirs
11, rue de Sèvres, Paris 6e

Première édition dans la collection « lutin poche » : avril 1980
Maquette : Sereg, Paris
Loi n° 49 956 du 16.07.49 sur les publications destinées à la jeunesse : Avril 1980
Dépôt légal : deuxième trimestre 1980
Imprimé en France par Offset-Aubin à Poitiers

Il était une fois, dans le Jardin des Tuileries, un arbre qui venait d'avoir à nouveau, comme chaque printemps, beaucoup de jolies petites feuilles vertes.

En haut de l'arbre, vivaient deux jeunes mariés, qui y avaient construit leur nid.
Le papa oiseau était très amoureux de la maman oiseau, aussi avait-elle pondu beaucoup d'œufs.
Peut-être même un peu trop.

Ne voilà-t-il pas qu'un
matin, le plus jeune
oisillon est poussé
hors du nid.
Et il est tombé,
tombé,
tombé...

...tombé,
tombé,
sur le chapeau d'un Vieux
Monsieur qui s'apprêtait
tout juste à descendre
l'escalier du métro.

Le petit oiseau en est resté tout étourdi. Agrippé de son mieux, il avait peur.

Le Vieux Monsieur s'est enfoncé dans un couloir.

Au milieu du couloir, il s'est assis et il a commencé à faire de la musique sur son accordéon. Le petit oiseau n'osait pas signaler sa présence.

Mais pour finir, comme le Vieux Monsieur avait l'air gentil, il s'est décidé à l'appeler au secours. "Pauvre petit oiseau, a dit le Vieux Monsieur, il faut que je te rapporte chez toi, car ta maman doit s'inquiéter."

Mais nulle part il n'y avait de nid dans ce couloir du métro.

"Vraiment je ne comprends pas d'où tu as pu tomber," a dit le Vieux Monsieur.

Finalement il a emporté le petit oiseau chez lui.

Il a passé la première nuit à se faire du mauvais sang, pour son jeune protégé : “Est-ce qu’il dort bien?... Est-ce qu’il n’a pas froid?” Le matin, il était bien décidé à le garder avec lui et à remplacer désormais son papa et sa maman. Il lui a d’abord donné un nom : Odette...

...puis il lui a donné un solide petit déjeuner.

Sur quoi ça été le moment du départ pour le travail. Odette a fondu en larmes : “Je veux aller avec toi.”

Odette était drôlement contente de se faire voir dans la rue en compagnie d'un Vieux Monsieur si élégant.

Et le Vieux Monsieur, que les années avaient rendu un peu amer et dédaigneux, reprit goût à la vie. Ce printemps fut le meilleur qu'il ait connu depuis longtemps.
Il était fier de ses responsabilités vis-à-vis d'un petit oiseau si gracieux et turbulent, et Odette voletait sur sa barbe avec reconnaissance.

Tout le monde regardait maintenant d'un œil admiratif ce vieux bonhomme qu'on avait pourtant vu depuis des années posté à cette même place dans le couloir du métro.

Les attroupements prenaient énormément de plaisir aux concerts donnés par les deux musiciens.

Odette suivait partout le Vieux Monsieur.
Elle était parfois un peu coquine et venait manger dans son assiette, bien qu'il lui ait cent fois dit non.

"Odette, voyons ! cela ne se fait pas."

Le dimanche, le Vieux Monsieur et le petit oiseau passaient de longues heures dans le Jardin des Tuileries.

Odette s'envolait si haut par-dessus les arbres que le Vieux Monsieur ne la voyait même plus.

Un soir, au début de l'automne, elle fit la connaissance en plein ciel d'un oiseau tout à fait sympathique, tout à fait bien élevé.

Elle a parlé au Vieux Monsieur : “Tous les autres oiseaux s’en vont en vacances en Afrique. Ils veulent que j’y aille avec eux...

... Qu'en penses-tu, Vieux Monsieur?"

Le Vieux Monsieur a dit : “S’ils partent tous, si tous tes cousins et tes frères s’en vont vers le soleil, c’est sans doute qu’ils le doivent, et alors toi aussi. Ici, à Paris, tu prendrais froid.”
A la sainte Alice, les oiseaux se sont rassemblés, et ils ont pris leur envol. Il y en avait tant et tant que parmi eux le Vieux Monsieur n’arrivait plus à voir Odette.

Ce jour-là, il est allé déjeuner tout seul au restaurant.

L'hiver fut très froid. Le Vieux Monsieur écrivit une lettre à Odette, pour lui dire combien il se réjouissait qu'elle se trouve au soleil, "car ici c'est assez dur," disait-il. Mais il n'envoya pas la lettre, car il se souvint qu'il ne lui avait pas appris à lire.

Au printemps, Odette s'est dépêchée de revenir, impatiente de voir le Vieux Monsieur et de lui présenter son mari.

Mais à la station de métro, personne. Le Vieux Monsieur n'était plus là. Il était parti, ne laissant que son chapeau en haut de l'arbre.
Odette a compris qu'elle ne le reverrait plus.

Mais aujourd'hui, en souvenir du Vieux Monsieur si aimable, les oiseaux font leur nid dans chaque chapeau qu'ils trouvent.

lutin poche de l'école des loisirs

Dr. Heinrich Hoffmann
adapté de l'allemand par Cavanna
Crasse-Tignasse
(Der Struwwelpeter)

Jean de La Fontaine et
L.M. Boutet de Monvel
Le corbeau et le renard
et neuf autres fables
Le loup et l'agneau
et onze autres fables

L.M. Boutet de Monvel
Chansons de France

Tomi Ungerer
Les trois brigands
Les Mellops font de l'avion
Les Mellops trouvent du pétrole

Leo Lionni
Petit Bleu et Petit Jaune

Philippe Dumas
Menteries et vérités

Kay Fender et Philippe Dumas
Odette

Aruego
Léo

Kate Greenaway et Robert Browning
adapté de l'anglais par Bernard Noël
Le Joueur de Pipeau d'Hamelin

Jean de Brunhoff
L'histoire de Babar
Le voyage de Babar
Le roi Babar

Maurice Sendak
Pierre

Edward Gorey et Jan Wahl
Le château des toiles d'araignées

Claire Huchet et Kurt Wiese
Les cinq frères chinois

Samivel
Brun l'Ours

Spier
Les animaux ont la parole

H.A. Rey
Georges